# みじかい髪も長い髪も炎

平岡直子

# 歌集　みじかい髪も長い髪も炎　目次

三



装幀　名久井直子

歌集

# みじかい髪も長い髪も炎

平岡　直子

## 東京に素直

きみの頬テレビみたいね薄明の20世紀の思い出話

メリー・ゴー・ロマンに死ねる人たちが命乞いするところを見たい

わたしたち浮浪者だっけ、　歯にメモを書いてつぶれたペン先だっけ

すべきこと　それよりわざわざ靴を買いそれよりわざわざ靴を磨いて

あいつは犬のいいやつ道をころがって吠えたら回るわたしの車

銃口をくわえるような飲みかたで美しくする樹から疲れた

満席を告げつつ椅子がないことがあなたの夜の深さだろうか

終点がある人もまたゆりかもめ持たざれば好きなだけ憎める兄よ

茶封筒〈がん検診のおしらせ〉の字は宝石にたとえたら何

あなたはあなたの脳と生きつつ地下鉄ですこし他人の肩にもたれた

あの時計は八時五分を告げるにも女を武器に尖った針よ

焼き畑がからだを通るそののちのゆめ殺伐にいたいきみとは

愛情に餓えてて可哀想な斧でいいからBOOKOFFで拾うわ

こぼされてこんなかなしいカルピスの千年なんて見たことがない

とても悲惨な天気予報のすみずみできみに砂糖を運びつづける

記憶を頬のようにさわって

震えてきれいなきれいなきれいな虫の羽きれぎれにこの世界

動物を食べたい　きみのドーナツの油が眼鏡にこすれて曇る

愛をテレビで学んでテレビを捨てる　裸でよみがえる東京タワー

からだに穴はあけちゃだめってお父さんが言ってたわたしの耳嚙みながら

夜に水　あかるむ記憶のそのなかのあなたはいつも服を着ていた

夢の廃墟が見ている夢に響かせるように額へきみのてのひら

ゆっくりと丸まる薔薇よ表情が回転しつつ顔になるまで

遊びおわったおもちゃで遊ぶ冬と夜　きみに触れずに雨がとおった

水からも生きる水しかすくわないわたしの手でよかったら、とって

さみしさをへだててきみは遠く近く蛍のように息をしている

風光る朝のミスター・ドーナツの素肌に触れてはためくシャツよ

ああきみは誰も死なない海にきて寿命を決めてから逢いにきて

## 装飾品

きみの骨が埋まったからだを抱きよせているとき頭上に秒針のおと

ピアニストの腕クロスする天国のことを見てきたように話して

捨ててきたミントの葉が樹をなすようにきみが誰かの忘れものでも

速度計の針はふるえて絶対にほんとうに泣くか幾度も聞いた

完璧な猫に会うのが怖いのも牛乳を買いに行けば治るよ

どれほどの海にもぐれば英雄に見渡すかぎり出会えるだろう

腹ばいで読むとき歌はくるくると全方角に散っていく花

太るほど清らかになる生き物をあつめて顔を洗いたい、朝

撒いたのは母のはははのははとはの立つ人しゃがむ人おめでとう

夜と窓は強くつながるその先にひとりぼっちの戦艦がある

きみが思うわたしの顔を思うときそこにぽっかりあく空洞の

これだから秋は、ときみは口ずさみ怪獣みたいな夕焼けだった

包丁はみんな上着の内側に夜にひらけばきらきら光る

バス停でひとときに懐かれてどうせ誰にでも降る雨だった

サーカスよ　いくたび生まれ変わっても辿りつけないつばさを見せて

炎、歴史、美しい脚、三面を持つ心臓を尾行するだけ

きみだけの願いが無数の短冊に流れて夜を支配している

歌を甘く見なさい　まずい珈琲に浮く埃すらああ光ってる

ね。

この朝にきみとしずかに振り払うやりきれないね雪のおとだね

音楽がやむまできみの深淵に立ってたことを挨拶とする

貸せるものがないから歌をひとつだけいろんな声で何度も唄う

1時間立って話しておやすみを言ったきれいなホテルの前で

ただ風に吹かれるという苦しみもあるのでしょうね煙草一箱

クリスマスツリーのような人だからこうして笑うほかない夜よ

王国は滅びたあとがきれいだねきみの衣服を脱がせてこする

手をつなげば一羽の鳥になることも知らずに冬の散歩だなんて

感情は分け合うものと言うたびに口からぽろぽろ産まれる果実

テレホンカードをもう使えないのだときみは花屋でもないわたしに言った

きみの指を離れた鳥がみずうみを開いていけば一枚の紙

## Happy birthday

すごい雨とすごい風だよ　魂は口にくわえてきみに追いつく

燃えうつる火だというのにろうそくの上で重たげにゆらめいている

背表紙にただ触れて去る本があることも真冬のスタンプカード

裸眼のきみが意地悪そうな顔をしてちぎるレタスにひかる滴よ

セーターはきみにふくらまされながらきみより早く老いてゆくのだ

ほとんどの骨はからだに閉じ込めてときどき月に向かって笑う

体内に降ることのない雪だからきみがゆっくり水滴にする

身のうちに電子回路や針金を感じつつきみに腕を伸ばした

あなたの有名な廃墟

薄氷の上に置かれた猟銃をきみのこころと読んだのはきのう

わたしの愛　窓に炎の表情をきざみつつ暮れていく秋はすぐ

立っているうちに霧が過ぎしらさぎが過ぎてただ変わり果てたマフラー

その才気をだれが償う差しだした舌が空気に近づいていく

落ちる葉も鏡のようにこなごなの秋よCHANEL のチークは日の丸

なけなしのお金をフリージアに変えそれから食べ方を考える

ダウンジャケットいま転んだら12個の卵が割れてしまう坂道

低気圧だからフローリングにへばりつく　水曜が性格を持つ

どちらかというと裏返されながら見せているむきだしの映画館

無邪気さに潰されてもうひからない蛍がペンにふかく関わる

耳のなかの音をとつぜん半額にする風がくる　教えてくれた

黒い親しいデニムへ

飛車と飛車だけで戦いたいきみと風に吹かれるみじかい滑走路

生きているうちにいくつか行く街の点滅を心臓が送りだす

地下室が家にあるふりされているわたしの声は重いのかしら

なにもないように見えてもドアノブを意識しながらゆくべきだろう

写真を抱くようなサイズの思い出のなかでなんども立たされる岐路

その中のひとつも怖くないことを告げる親しい黒いデニムへ

縞馬がねむりの上を歩くとき春すぎてまた春がくること

ああ足の指で触れなきゃ尊敬をあつめてしまう人のかなしさ

わたしの if を遠く離れたわたしにも遠くて袖をとおすわたしは

裸木よまひるの川面をあたためるひかりが大きな舌にみえない

## 月とカレンダー

抜け殻の蟬を並べて遊びたい古い電車の展示の前で

水曜に別れを告げれば木曜がすぐ来るような森だったよね

わたあめか（また雨か）聞きまちがいに気づくまで耳に降る綿雪

天の川はうちに作れる畳の上に一円玉を敷き詰めるだけ

魂に沿わないからだの輪郭をよろこびとしてコーンフレーク

見たこともない蛍にたとえるからにはいつか蛍を見るのだろう

ひかりふるあめふるおちばふる秋のあわいできみはのどふるわせて

弟のしゃがみこむ道　野良猫に毎日ちがう名前をつける

金曜に降る雨はどうしても光る　果物ふたつとビニール袋

呼ばれたら傾くといい青空はわたしに高い声をこぼして

マスカラを買おうと強く思わなきゃ明日にはみんなわすれてしまう

あやしげな呂律できみが喋るたび宇宙がすこしずつ暗くなる

負けたほうが死ぬじゃんけんでもあるまいし、開いたてのひらの上の蝶

くらくらとのどが渇けばかわくほど明るい冷蔵庫の光は

花びらの裏側ばかり見るようにわたしをなぞるきみの舌先

ベランダで虫がおなかを見せていて風はこうして吹くのだと言う

冷やされた梨が古びていく朝に電話をかけても雪は降らない

まちがえてミントを噛んだ顔をした人のつむじに指でさわった

消音のテレビの光ゆれてまた近づいて遠ざかる足音

公園のスプリンクラーをあふれだす虹を見ながら友だちが泣く

氷河期の前触れとして野ざらしのパイプ椅子にも降りる初霜

からっぽのバケツみたいに晴れた日を　すべて、すべて、とつばさ広げて

ゆきゆきて春夏秋冬

後悔はときにわたしを出て行って浮遊している春のバルーン

靴下をきちんと拾いあつめても心の端が燃えてるいつも

水際に夕日を引き込む重力が遠いわたしに服を脱がせる

ベビーカーにいちばん怖いもの乗せて一緒に沼を見に行きたいね

きみの引く蛍光ペンのような夢ただ七月に海の日のある

夜ごとに茶碗を洗う手の指に遠景の海を飼っていた夏

行き先の字が消えかけたバス停で神父の問いに　はい、と答えた

化粧室標示の男女寄り添わず静脈と動脈は巡るも

春といえばワンピース。ワンピースといえば夏。夏が終われば秋。

刺抜きを拾い上げたい秋の野で触れればそれはみんな朝露

わたしの顔を削りつつポストに降る雨に心から夢を見る

吹きわたる風があなたを壊しゆく朝、小麦粉で子孫をつくる

父が育った部屋に貼られたメーテルの流し目のした眠ろうとする

死ぬことは怖いねふたりふたりって鳴る絨毯の上の足音

雪を待つ常緑の樹々すり抜けてきみにお金をあげたら帰る

星座を結ぶ線みたいだよ　弟の名前を呼んで白髪を抜けり

そうかきみはランプだったんだねきみは光りおえたら海に沈むね

ゆきゆきて春夏秋冬抱くならきれいな角（つの）は捨ててから来て

## 光と、ひかりの届く先

海沿いできみと花火を待ちながら生き延び方について話した

このままで目覚めたいから飛行機のかたちで背中をさらして眠る

たらればのねじれた袖の洋服の脱水中に日付が変わる

ありったけの小銭をきみの手に落とし　持っているものすべて教えて

ひまわりの根元に氷を埋めながらきみのからだのことを思った

理科室で人体模型を見た記憶なんてないけどわたしでも好き？

できたての一人前の煮うどんを鍋から食べるかっこいいから

性欲の話に笑う／肉眼で見えない星の気配のようだ

あかるくて冷たい月の裏側よ冷蔵庫でも苺は腐る

お母さんが編んだマフラーという生き物は英訳すると死んでしまうの

夕焼けが傾きながらおりてくるここで眠ってしまいたいのに

半球は太陽に顔そむけつつきみの頭の南北に耳

靴下で砂を踏みつつ永遠に着られる服がほしかったのだ

どの朝も夜もこうして風を受けあなたの髪が伸びますように

怒りには燃えても残る骨があり父の少年時代を知らず

東京に環状のもの多いことひとかたまりの野良猫ねむる

臓器は提供しませんとドナーカードにサインしてからキッチンに立つ

しゃぼん玉のような時代もあったというわたしのものでない点滅よ

わたしたちの避難訓練は動物園のなかで手ぶらで待ち合わせること

忘れてはいけない人が増えてゆきアパートとなる胴体である

風葬のなかにわたしが終わらない犬の寿命をはるかに超えて

神様を呼ぶ声がする真夜中の金子金物店のシャッター

焼却炉のなか日めくりの木曜がかがやきながら燃えつきにけり

あじさいで知られた庭をおとずれてひたすら空を見ている秋に

あの星は？　と問えばあなたは見えないと言えりいちばん明るい星を

夢・自衛隊の飛行機・ダイビング・銃弾　会いにゆくためなら

ほんとうに夜だ　何度も振り返りながら走っている女の子

二

みじかい髪も長い髪も炎

このラジオはいつか鳴りだす公園の鳩たちみんないなくなったら

心臓と心のあいだにいるはつかねずみがおもしろいほどすぐに死ぬ

きみの眼にわからないならわたしが封を切るから赤いものは手紙

舌先でおしえる冬の煌めきのオリオン座しか知らないけれど

きみにしずむきれいな臓器を思うとき街をつややかな鞄ゆきかう

家よりも大きなものは着られないのにどうやって逃げるというの

ぱち、ぱちと爪が切られていく音だけで動物園がひとつ燃えたね

あとがきがいちばん優れた小説のどこからすべり落ちたのだろう

三越のライオン見つけられなくて悲しいだった　悲しいだった

寝ぐせをとても気に入って新聞の写真には船、それに乗りたい

「お墓って石のことだと思ってた?穴だよ、穴」洗濯機をのぞきこむ

街角にわたしもひかる墓標をたててそれから歩いていきたい森へ

花から花はしずかに生まれてゆきながら褒めてくれたら引き金を引く

ねえ、それは、「どっちの夢?」とたずねたら、どっちも、と眩しそうに、好きだ

自転車の遠吠え。夜が焦げていく音。欲望をひとつだけあげる。

真夜中の水族館が海底に似ていることをどこで知ったの？

かすかな音が聞こえる目覚まし時計とわたしを隔てる壁の枚数

薄明のまだ木々は濡れているだろう手に薄くワックスを伸ばして

呼吸することで世界に参加する／白い紙では飛行機を折る

新しい服をくぐった風のなか梅は花ひらくこと思い出す

冷たさは重さだろうか散らばった冬の小銭を犬が嗅ぎおり

立ったまま水を飲み干すきみに見るのど骨ばかり浮かぶ水面を

食べかけのベーグルパンと少年と置き去りの壊れた自転車

窓の外の宇宙の広さがわからずにパソコンで手を温めている

悪夢と悪夢のはざまの夜に静かさは響きわたってきみを導く

## 紙吹雪

絵葉書の菖蒲園にも夜があり菖蒲園にも一月がある

ベビー服のうえを模様が通りすぎ赤ちゃんはみな電球のよう

見慣れるわ、七福神の置物のかたちで胸に空いた穴にも

助詞の〈ゆ〉に憧れやまぬ舌たちゆ舌禍が潮騒になっていく

福井ってあそこでちぎれそうだけどわたしが見たい光る生きもの

地球儀の柄のストール裏返し　みんな死んでるビデオなんだよ

めちゃくちゃに子どもが描いたカラフルな線にも頭蓋骨がほしいね

街の灯のひとつひとつに営みがあればわたしのピアスの穴だ

どうやって言うかしずかに考えるとき黙秘する犀がいるのよ

きみの黒い瞳の奥に映ってる左右でちがう月の暦が

銃撃戦がとくに好きってわけじゃない土の匂いのチョコレート噛む

ボタン自身にいくつも小さな糸穴が開いているんだ振り返ったら

ジグソーパズルの光沢だろうか五月の空だろうか　いいえ海軍です

洗脳はされるのよどの洗脳をされたかなのよ砂利を踏む音

クリスマスマーケット光を読みながら行き来している純粋読者

正しさよ頭のなかのビーカーの水が頭とともに傾く

歯みがきのときだけ感じる指揮台があるじゃない、　ほら、　わたしたちには

襖ってお菓子でいえばウエハース　ゆうべ心が開いたままだ

持ち運ぶスーツケースのそのなかで燃えている一枚の歌詞カード

水玉に塗られた干支の動物の胴　わたしにも舌禍はあった

三

## 落雷

雪　そうしてきみがたおれこむ速度がそっと瞳をなでる

ぼくのすべてをきみにあげると言うのだから（花燃えうつる）まずは両眼

朝にとどくものたちはみな遠くからくる遠くから朝刊がくる

希求する／夜いっせいに閉ざされたチューリップそれぞれが持つ蜂

なんどでも帰るよ桜の樹の下へわたしを扉だと思ってた手へ

雨の夜の火事をのど奥に飼いながら地図上のロンドンをゆびさす

きゆきゆとふたりしずかにＣＤの裏をみがけばＣＤに虹

さわれないただの速さだ雷も川もそのようにきみに触った

彗星のしっぽつかんだような気がしたのに檻のなかの水鳥

見て舌の平熱　きみは水銀をおそれて口をひらかないけど

飛行から遠きわたしに収まらず鳥が羽ばたきをくりかえす

泣いたってかまわないけどその靴はだめだよ、ここで脱いで捨てなよ

YENじゃない硬貨を砂に埋めながらこれが命を守るんだっけ

渡さないですこしも心、木漏れ日が指の傷にみえて光った

自転車は朽ちていくのか夕焼けに包まれながら眼も持たず

ひるがえる手よ天候と寝たことがわたしの災いだったのだから

2階には小さな窓

明け暮れのあなたの心のつめたさが手を手で包むわたしに触れる

黒い犬がそうするようにこの夜を舐める　2階には小さな窓

誰ひとりわたしがここにいることをしらないだろう心をやめて

タイピングの音が眠りの屋根を打つ　汚い言葉を思いうかべる

そんなに塩をかけたら死ぬよって言ったあと震えてる白いスカートのなか

裸ならだれでもいいわ光ってみて泣いてるみたいに光ってみせて

金色の星　やり方がわからないまま口を開け　銀色の星

話しすぎなかった夏よもうすこし待って遊んで遊んだ猫で

火傷のようにめくれる日々をうらがえす人の鼓膜が天才だった

雨の日はぼくを訪ねるはりねずみはりねずみが濡らされている雨

似ていない悲しい人体模型から小さなタンバリンを抜きとる

冷凍庫にほうれん草を眠らせたままでしずかに　膝を折りなよ

鳥たちが笑いはじめるあの季節この季節わたしの発明だから

世界から姿を消した、ときみがいう語尾が濁ってそのなかの泡

（東京タワーを見える範囲）今誓う（東京タワーから見える範囲）

いつか死ね　いつかほんとに死ぬことのあいだにひしめく襞をひろげて

Googleマップの短い旅をくりかえしくりかえし水たまりの水紋

似合う、ってきみが笑ったものを買う　生きてることが冗談になる

透きとおるこんなひとつの数年の果てにもブックエンドを置いて

写真に忘れられた海岸をきみもまた忘れるだろう　どこまでも道は

# マニュアルフォーカス

凍ってる、凍ってるって踏んでいる虫が眠れる地面の上を
冬。世界はだいたい毛糸だらけで、とつぜんきみの耳が出ている

わたしのからだに鏡はひとみしかなくてこんなにきみを好きだというのに

きれいなもので心を満たすのをやめてきみに写真を選んでもらう

マフラーを適度な力で巻いてやることができずに一月だった

ふるえつつふってくるゆき手にうけてきみの乳歯をみたことがない

めをとじて　この瞬間に死んでいく人がいるのを嘘だと思う

ありとあら夜ること

きみのクレヨンの箱のなかでいちばん減った色よ　夜明けのつめたさよ

細雪ひとつひとつの目が透かさない人々の生死をセロファン

どうしても開かない胸に頬つけて夜が歩いていくの見てるよ

それはとてもひどいことだね　夏の庭　とかげが濡れた石を渡った

東京の頬にちいさくしゃがみこむただ一滴の目薬になる

割れてからずいぶん骨はわたしすらしらないきみだ[illegible]が聴いたでしょう

死期を悟った……いよいよ夜を匂わせる猫の唾液が輝くならば

タクシーの《空車》ランプの連なりに心が焦げるところを見た、と

あまりにも夏、 とても夜、 一匹の黄金虫が洗濯を見ていた

捨てるべき紙がこんなにあることのほかにこの世に絶望はない

甘やかしてゆけばいいのに運命はきみには時計としてあらわれる

ねえ夜中のガードレールとトラックのように揺れよういちどだけ明るく

記憶と未来の混ざった影にきれぎれのきみの目鼻が俳句にみえる

遊園地に借りっぱなしの光を返しわたしは遠い額縁になる

そしていつかきみを剝がれおちるものたち内臓を抱きしめる骨

交番に用事があった顔のまま草木を連れて季節を渡る

## 盗聴

鎮魂の花を星から切りはなしきみにもきみにも魂を売る

まぼろしの椅子に毎日すわること思いどおりに気が狂うこと

ここいもうとはいないともだちはいない乾いたバスタオルが干された

深く深く愛してしまう鉛筆を抱いていたらまるで壁に殴られる

草の匂いにきみのあらゆる死をおそれ　あの　ソフトクリーム　じゃないと　だめ

でも心　写したいのは石像の脳(なずき)のなかの街へ降る雨

洗顔のうしろで夏は明けてゆきわたしのさみしさに手を触れなさい

## 昨日と今日の泡

BBQをしたことがない人たちで死後には土を養うんだよ

後ろ手に兎の脚をつかんでる気配のままで立っているのね

コーヒーにミルクを混ぜる分量が日々てきとうな弾丸なのに

手の甲ににじんだブルーブラックを離陸していく夜の飛行機

あなたが鍵を握っていますます手をひらいても鍵はけっして見つかりません

春の底、桜吹雪の白熱をフランス人の耳で聞きたい

わたしをわたしの戦利品だというときに喉をあふれない夜の川

感想は覚えてないな　つまらない無血開城だった　それだけ

切り口のような蛇口が吐く水の下で揃える両手に十指

空薄い丸の内では一階をすべて二階と思って歩く

常昼の痺れに眠れない人はみんな友だちわたしは寝るね

うん国に帰ったら映画にします猫はどんどん埃っぽくて

観客はじゃがいもと言われたじゃがいもの気持ちを考えたことがあるのか

わたしにも父のと同じイニシャルがあるけれどそれ壊れているの

痛いのがほんとにいやな人なんていないと思う　銀紙の星

動物の目だねほとんど縫合のようにボタンをはずしてあげる

乗るほうが好きだな夜は空席の王座のようにわたしをめぐる

シュレッダーを通ってきたという顔に頬を寄せるあたらしい顔だよ

まつ毛というまつ毛が電波狂わせて終夜よい子でいるキャンペーン

百年をいちばん遠い白百合の束を押しつけられてごめんね

手をつなぐ遠さはまるで光っては冷えるビアホールのピアスホール

## 視聴率

誰だって持ってる暗いトンネルの壁に外国語の落書きは

王冠を授けあうわたしたちのことまひるの裏番組が見ていた

稲妻が夜を分けあうとき二羽の魂の競泳をしらせて

空港でもっと遊びたかったこと空港に来るためにしたこと

カゲロウの背骨のような縫い針が秋に一本置き去られたり

案山子たち焼きつくしても世が世ならきみがひねくれ者のメロディ

なりたがる前にわたしになっていたロックスターを夢にみている

じゃあずっとここに立ってる廃線の線路がポケットに流れこむ

三〇歳を抜けたる先の麦の穂のなんて壮大なボーナストラック

（文机の上に清潔な新聞を）明治の髪を洗ってあげる

靴を脱ぎたったの二歩で北限にいたる心の狭さときたら

灯台が転がっているそこここにおやすみアジアの男の子たち

貼って、と湿布を渡し背を向けたきみをそれきり見つけられない

舌先よぼくのふつうの心臓をそんなに好きって言えるかどうか

去っていく太陽のその両脚にすがりついても小数点以下

なんとなくピンとこなくてsympathyって言い直す　言い直す風のなか

変わったことがあったらどうか教えてねこわい天井だけ見ていてね

オリンピックを虹と言うのに足りなくて思いだせるかぎりの土佐犬

鎖骨が貝になるとき恥骨が蝶になるとき父が怪我をするとき

バイオリンはどうかな不意をでもチェロはずいぶん素手で戦えないわ

なれるならどんな夜にもすぐ乗れる青い雷みたいな馬に

パトカーと蚊を見たよじゃあね　今生の別れといつも隣り合ってる

この世どこかにわたしの四肢を継ぎ合わす犯人としてレモンが光る

歴史というのはただの模様だきみが橋ならどんなにかよかった

サボテンのかたちに積もる雪の中なにがお金で買う女の子

罪と罰がペアのドレスで踊るからきみの手をそれよりも素早く

東西も南北もない地図

ゆうぐれよ魚が魚を食べてると告げつつきみの腕にさわった

冬には冬の会い方がありみずうみを心臓とする県のいくつか

剝きだしの脳ほど冴えた満月があふれる色をなだめるだろう

空港の搭乗口がひらかれて、ここから遠い、九月、十月

東西も南北もない地図のうえ線路はこの世の刃として伸びよ

アンコールがあればあなたは二度生きられる

追憶はやがて大きな傘になりしずくが花の死を殺すこと

はためいて百と千とのあいだからこころあかるき雪ふってくる

窓、夜露、星条旗、海、きらきらとお金で買える指輪ください

蜘蛛の血のみどりが銅によることを思いつつかぶの葉に刃を入れる

燃えあがる　床を拭くとき照らされる心に地獄絵図はひらいて

星のように冷たい手だね／きみの手は星のように熱いよ／聞こえない

本棚の本から声は抜けだしてあとには淡い林が残る

小平市津田町を着て約束のきみの新宿区に会いにいく

花はあふれてあふれてやまず眼科医の目でのぞきこむレンズのなかに

きみはきみの影だよ夜ごと幾百のヘッドライトに更新されて

ちゃんとわたしの顔を見ながらねじこんでアインシュタインの舌の複製

白いシャツに埋(うず)もれて死ぬ願望のようにひかりに汚されている

見たことがないものだけを重ねればオーロラになる　見たことのない

しずかな池の底にいくつも血流のうずまく魚のからだがしずむ

すこしだけ隣の部屋を見てくるときみ言い置いてからの千年

記憶が風に混ざってだんだんわからなくなるけれど、蜘蛛と雷

手紙として送られてきたメロンの迷路をさまよいながらふたたび出会う

熱砂のなかにボタンを拾う　アンコールがあればあなたは二度生きられる

# 別名

指揮棒に従いひとりひとつずつ星をつむじに載せて渡った

喪服を脱いだ夜は裸でねむりたいあるいはそれが夢の痣でも

そりゃ男はえらいよ三〇〇メートルも高さがあるし赤くひかって

〈天使の髪の毛と呼ばれるパスタです〉剝げた天使が腰かけている

視神経の束をあげたいヘッドライトは夜の湿度を切りひらくだけ

おまえまでそんなことをって表情で首をかしげている　揺れないで

# あとがき

二十代はさんざんだった。

思えば十代はもっとさんざんだったし、その前はさらにもっとさんざんだったけれど、その頃はただ大人になりさえすれば何もかもよくなるのだと思いこむことができた。抑圧から逃れることが他の抑圧の傘下に入ることだなんて思いもしなかった。今のわたしは二十代の半ばに裾をピン止めされたまま限界まで伸びているゴムのようなもので、どうしてまだちぎれていないのかもよくわからない。

歌を生きる頼りにしたことはないけれど、歌に救われた経験がないといえば嘘になる。そのことを宝物だとも恥だとも思わない。短歌はとても無力なうえに、その無力さを徹底する力すらない詩型だと思う。それでもわたしは自分が短歌をつくるために生まれたのだということはなぜか無根拠にずっと信じていて、歌集として差し出せるのも自分のみている幻覚ばかりである。

短歌はふたたびの夢の時代に入った。

平岡　直子

**著者略歴**

平岡 直子（ひらおか なおこ）

1984年生まれ。長野県出身。早稲田短歌会への参加を経て、「町」「率」など同人誌を中心に活動。現在「外出」同人。2011年に連作「月とカレンダー」で第22回歌壇賞次席。2012年、「光と、ひかりの届く先」で第23回歌壇賞受賞。

---

歌集　みじかい髪も長い髪も炎

2021年4月26日　初版
2021年8月31日　第二刷
2022年10月26日　第三刷

著　者　平岡　直子
発行者　奥田　洋子
発行所　本阿弥書店
東京都千代田区神田猿楽町2-1-8　三恵ビル　〒101-0064
電話　03(3294)7068(代)　振替　00100-5-164430

印刷・製本　三和印刷(株)

定　価：2000円（本体1818円）⑩

---

ISBN 978-4-7768-1541-9 C0092 (3257)　Printed in Japan